Collana **Italiano Facile**
5° livello

a cura di A. De Giuli e C. M. Naddeo

Italiano Facile
Collana di racconti

Progetto grafico e disegno di copertina: Leonardo Cardini
Progetto grafico interno: Mat Pogo
Illustrazioni: Nicotina

Prima edizione: 1999
Ultima ristampa: novembre 2006
ISBN libro: 978-88-86440-18-9

viale dei Cadorna, 44 - 50129 Firenze - Italia
Tel. +39 055 476644 - Fax +39 055 473531
info@almaedizioni.it - www.almaedizioni.it

PRINTED IN ITALY
la Cittadina, azienda grafica - Gianico (BS)
info@lacittadina.it

Ivana Fratter

Un'altra vita

ALMA Edizioni
Firenze

LA LETTERA

Cara mamma,

spero che tu capirai ma devo andare via, ho bisogno di respirare aria pulita, di incontrare persone nuove. La vita qui, la gente, i luoghi, ogni immagine, ogni strada di questa città mi ricordano quello che ero. Non ce la faccio più! Anche se sarà difficile, preferisco andarmene e ricominciare di nuovo, voglio una vita che sia mia. Qui tutto ormai è solo un triste ricordo. La vita non può essere vissuta nei ricordi dei tempi passati. La vita è quello che è oggi, la vita è quello che sarà domani.

Addio!

Ti voglio molto bene.

Tuo Giacomo

Note

IL RIENTRO A CASA

Ho dovuto prendere una decisione molto difficile. Dopo aver scritto questa lettera sento che una parte di me se ne è andata per sempre, un'altra, quella vera, mi dice che era necessario. Vado lontano da qui, con la speranza di potermi rifare una vita in un'altra città.

Ricordo molto bene il giorno in cui mio padre si è sentito male. Di solito il fine settimana ritornavo a casa, ma quel sabato avevo deciso di restare a Trieste per andare con gli amici dell'Università a giocare al casinò in Slovenia. Quando sono rientrato a casa era molto tardi. Ero contento, perché al casinò mi ero divertito molto. Avevo passato una bella serata e, anche se avevo perso molti soldi, non ero preoccupato; infatti il giorno dopo avrei potuto chiederne altri a mio padre. Non era la prima volta.

Mentre mi avvicinavo alla casa ho visto tutte le luci accese, anche quella della mia stanza. Era strano, perché là non entrava mai nessuno senza di me. Davanti alla villa c'erano alcune macchine con i **fari** accesi. Tutto questo non era normale perché di solito i miei genitori la sera andavano a letto presto. In un primo momento ho pensato che avessero organizzato una festa, ma la luce del **salone** principale, dove facevamo queste feste, era spenta. Tutte le macchine, inoltre, erano parcheggiate in modo disordinato davanti alla villa,

---

fari: luci della macchina.
salone: grande stanza della casa per ricevere gli ospiti o fare feste.

Note

sembrava quasi che gli invitati avessero avuto fretta di entrare.
Sempre più mi convincevo che qualcosa di brutto era accaduto, perciò sono arrivato davanti all'entrata e sono sceso velocemente dall'auto. Avevo molta paura, ma ormai volevo sapere che cosa stava succedendo.

IL RAPIMENTO*

La porta d'entrata non era chiusa. In casa c'erano due uomini che non conoscevo. Subito mi sono sentito in pericolo. Le loro facce mi facevano così paura che non avevo il **coraggio** di chiedere niente. In quel momento l'unica cosa che mi interessava era trovare i miei genitori. Perciò ho cercato di entrare nello studio di mio padre che era proprio lì davanti a loro, ma uno dei due si è messo di fronte alla porta:
"Ehi! Dove credi di andare?" - ha detto.
Era un uomo basso, dai lunghi capelli **ricci**. Non sembrava cattivo, nonostante ciò io avevo paura di lui. Allora a bassa voce gli ho chiesto:
"Chi siete? Che cosa fate qui a quest'ora della notte? Dove sono i miei genitori?"
"Non ti preoccupare, va tutto bene! Sono loro che ci hanno chiamato. Erano preoccupati per te, perché non eri rientrato a casa per la cena. Ci hanno chiesto di cercarti."

***rapimento**: sequestro, quando una persona viene presa contro la sua volontà da un criminale. Es.: *La Mafia ha organizzato il rapimento di un ragazzo.*
coraggio: il contrario di "paura".
ricci: non lisci.

Non credevo ad una sola parola di quell'uomo, perciò ancora una volta gli ho detto che volevo vedere i miei genitori. I due uomini hanno capito che ero un tipo **testardo** e con un tono duro mi hanno detto:

"Siamo qui per te e non per i tuoi genitori, loro non ci interessano. Ora tu verrai con noi perché ti dobbiamo parlare."

"Ma voi siete pazzi! Non ho intenzione di seguirvi e poi... chi siete voi per darmi degli ordini?"

Il secondo dei due, un uomo alto e magro, ha alzato la voce:

"Ora basta! Vieni con noi senza fare domande!"

Poi mi ha preso per un braccio e mi ha portato in giardino. Io non sapevo più che cosa fare, ho cominciato a gridare forte, ma sembrava che in casa non ci fosse nessuno. Il **guardiano**, la cameriera, il **cuoco**: dov'erano andati tutti? Non riuscivo proprio a capire.

Prima che i due uomini mi portassero fuori, avevo visto che qualcuno aveva aperto la porta dello studio. Forse era proprio lui, mio padre! Allora aveva sentito tutto? Ma perché non mi aiutava?

I due uomini hanno cercato di farmi entrare con la forza in una delle loro macchine. L'espressione dei loro visi era diventata più cattiva. A quel punto ho capito che per me era la fine!

Ho provato a difendermi, ma l'uomo alto mi ha dato un colpo violento alla testa e io sono caduto a terra.

---

testardo: persona che non cambia idea facilmente, che non ascolta consigli.
guardiano: persona che sta attenta alla casa quando non ci sono i padroni.
cuoco: chi prepara da mangiare per una famiglia o per un ristorante.

Note

LA PRIGIONE*

Mi sono risvegliato con un forte mal di testa. Ero in una piccola camera ben **arredata**. Sui muri di colore giallo c'erano anche delle fotografie. Mi sono avvicinato per guardarle meglio, forse mi avrebbero aiutato a capire dov'ero.

"Ma che strano, questa è la mia casa!" - ho pensato - "Come mai queste foto sono qui?... No, non è possibile! Quelli siamo io e la mamma. E chi è quell'altro?"

Non riuscivo proprio a ricordarmi chi fosse quel bambino. In quel periodo avevo più o meno sei anni e la mia famiglia abitava in quella casa solo da alcuni mesi. Per me quello era stato un brutto periodo perché non avevo amici con cui giocare ed ero sempre solo.

Mentre guardavo le foto, ho sentito dei rumori che venivano da fuori, così sono andato verso la porta per aprirla.

"No! Avrei dovuto immaginarlo, è chiusa a chiave!"

Due uomini si stavano avvicinando, parlavano a bassa voce tra di loro. Avevo paura! Mi sembrava di essere in un brutto sogno. Chi erano quegli uomini? Che cosa volevano da me, dalla mia famiglia? Come erano riusciti ad entrare in casa mia? Dov'erano i miei genitori?

Cercavo di spiegarmi quello che era successo, ma ogni ipotesi che facevo mi sembrava assurda. Intanto i due uomini stavano aprendo la porta.

"E io che cosa faccio adesso? Dove mi nascondo?" - ho pensato.

***prigione**: luogo dove sono messi i criminali. In generale luogo da cui non si può uscire e si è tenuti contro la propria volontà.

arredata: con i mobili.

Note

Velocemente sono corso verso il letto ed **ho fatto finta** di dormire. Non avevo il coraggio di parlare con loro. I due sono entrati nella stanza e si sono avvicinati a me per vedere come stavo:

"Ma perché l'hai colpito così forte? Vedi, non si è ancora svegliato." - ha detto il primo.

Mi sembrava veramente preoccupato, ma l'altro gli ha risposto:

"Stai tranquillo, non morirà! Questo è solo uno stupido buono a nulla. Nella sua vita non si è mai preoccupato di niente e di nessuno. Neanche dei suoi genitori. A casa tornava solo per dormire e per prendere i soldi dal padre. Ma quando tutto questo sarà finito, vedrai come cambierà la sua vita!"

Non appena i due uomini sono usciti, ho aperto gli occhi. Ero spaventatissimo, ma anche sorpreso: per la prima volta in vita mia, qualcuno mi aveva fatto sentire in colpa. Le parole di quell'uomo erano vere: con i miei genitori non avevo mai avuto un rapporto d'affetto, loro mi servivano solo per i soldi, le macchine e le comodità; di tutto il resto non mi importava nulla.

"Sono un egoista!" - mi sono detto - "In tutta la mia vita ho pensato solo a me stesso... Ma come facevano quegli uomini a conoscermi così bene? È incredibile, quei due sono così sicuri di sé, c'è qualcosa che non mi convince in tutto questo. E poi perché l'altra sera le luci di casa erano quasi tutte accese, anche quella della mia stanza? E chi c'era là? Dov'erano il papà e la mamma? Dov'erano andati tutti?"

---

ho fatto finta: ho simulato, ho fatto credere.

Note

Poi mi sono ricordato che, mentre i due uomini mi portavano fuori con la forza, qualcuno aveva aperto la porta dello studio. Forse era mio padre che era riuscito a liberarsi e voleva aiutarmi. No! Non era possibile, perché se fosse stato lui avrebbe sicuramente fatto suonare l'allarme della casa o avrebbe chiamato la polizia. A quel punto ho capito che ogni mia ipotesi era senza senso. Era inutile continuare a farsi domande; dovevo scappare da lì, dovevo trovare un modo per uscire. Ma come? Nella stanza non c'erano finestre e la porta era chiusa. Avevo solo una possibilità: parlare con i miei rapitori.

I RAPITORI

Sono andato verso la porta e ho cominciato a gridare.
"Fatemi uscire da qui! Che cosa volete da me? Venite qui! Maledetti!"
Quando hanno sentito quella confusione, sono venuti subito ad aprire la porta. Erano gli stessi che mi avevano rapito. I loro visi mostravano tutta la loro antipatia verso di me.
"Che cosa c'è? Cos'è questo rumore?" - mi ha detto l'uomo alto e magro - "Devo spiegarti una cosa che forse non ti è ancora molto chiara: nonostante ti abbiamo dato una stanza bellissima, sei nostro prigioniero; se non vuoi che ti succeda qualcosa di brutto, devi stare tranquillo e non gridare."
Quelle parole erano molto dure, ma il desiderio di conoscere tutta la verità era molto più forte della paura che stavo

Note

provando. Ho cercato di non far capire loro che ero spaventato e con voce sicura ho detto:

"Ma che cosa volete da me?"

I due uomini erano molto arrabbiati. Quello alto sembrava il più cattivo:

"Senti ragazzino, ora mi hai proprio stancato! Che sia l'ultima volta che ci parli in questo modo! Non farlo mai più!" - mi ha detto mentre usciva insieme al suo amico.

Ero **fuori di me dalla rabbia**, avrei voluto tirare dei pugni al muro. Non ero abituato ad essere trattato in quel modo, a casa ogni mia richiesta era sempre stata soddisfatta. Nessuno mi aveva mai parlato così. Questa volta però dovevo stare zitto e rimanere tranquillo. Non dovevo perdere la calma, avevo bisogno di pensare.

Le foto erano sicuramente la chiave di tutto. Dovevo scoprire perché erano lì. Ad un certo punto mi sono ricordato che, quando avevo sei anni, mia madre aveva preso **in affidamento** un bambino, che era rimasto con noi per alcuni mesi. Io e lui non eravamo mai andati molto d'accordo. Probabilmente il bambino che si vedeva nelle foto era lui. Non ricordavo neanche il suo nome, che strano!

Dopo dieci minuti ho sentito qualcuno aprire nuovamente la porta. Era l'uomo basso che, in modo gentile, mi ha detto:

"Sono venuto a vedere come stai. Il dolore alla testa ti è

---

fuori di me dalla rabbia: molto arrabbiato. La rabbia è il sentimento che prova chi è arrabbiato.

in affidamento: sotto protezione, in custodia, in adozione. Es.: *I genitori di quel bambino sono morti e così la nostra famiglia l'ha preso in affidamento.*

passato? Sai, non arrabbiarti troppo per il mio amico, è un tipo un po' nervoso, ma non è cattivo! Cosa fai lì in piedi? Ah, guardi le foto! Ti piacciono? Hai fame? Hai bisogno di qualcosa?"

Continuava a fare delle domande senza lasciarmi il tempo di rispondere. Ma avevo capito che gli ero simpatico. Perciò ho pensato di **approfittarne** e gli ho chiesto di andare in bagno.

"Seguimi! Ma non fare scherzi." - mi ha risposto.

Sentivo che quell'uomo aveva fiducia in me. Quando ho messo il piede fuori dalla camera mi sembrava già di respirare aria di libertà. Proprio vicino alla mia stanza c'era la porta del bagno. Stavo per entrare quando ho capito che lui voleva venire con me.

"Scusa ma... potrei restare solo?" - gli ho chiesto.

LA FUGA*

Nel bagno ho cercato subito il modo per scappare. Incredibile! C'era una finestra, così l'ho aperta e sono saltato giù.

Fuggire era stato semplice, troppo semplice, però in quel momento non avevo il tempo di pensarci. Per prima cosa dovevo capire dov'ero. Non era difficile: quel posto non era nuovo per me, lo conoscevo molto bene, da piccolo ci andavo spesso a giocare, non era molto lontano dalla mia casa.

---

approfittarne (inf. approfittare): avere un vantaggio da una situazione.
***fuga:** l'allontanamento improvviso da un posto.

Note

Era davvero strano! Perché mi avevano portato là? Chi erano veramente i miei rapitori? Che cosa volevano da me?

Non sapevo cosa fare: volevo andare alla polizia e allo stesso tempo a casa. Poi, siccome ero troppo preoccupato per i miei genitori, ho deciso di andare da loro. Dopo aver camminato per alcuni minuti, sono arrivato davanti all'entrata della casa. Dato che il **cancello** principale era chiuso, ho cercato di entrare senza farmi vedere da nessuno. Avevo molta paura, mi sembrava di essere un ladro. In gran fretta mi sono nascosto tra gli alberi.

Le luci della sala erano accese, in casa c'era qualcuno. Con molta attenzione mi sono avvicinato alla finestra per vedere che cosa stava succedendo. Tutto sembrava normale: mio padre era seduto sulla sua solita poltrona, leggeva il giornale e fumava la pipa.

Ero fuori di me dalla rabbia: com'era possibile? Lui stava lì seduto in tutta tranquillità a fumarsi la pipa quando qualcuno aveva rapito suo figlio, il suo unico figlio. Non potevo proprio accettarlo!

Poco dopo ho visto entrare nella sala mia madre con il tè. Non resistevo più dalla voglia di farmi vedere, di parlare con loro. Avevo già la mano sulla finestra quando improvvisamente è entrata un'altra persona: era un giovane, alto più o meno come me, dai capelli neri e ricci. Era troppo lontano per capire chi fosse, la luce della stanza non era molto forte e il suo viso era in ombra.

---

cancello: grande porta di ferro o di legno per entrare in giardino o in un altro luogo all'aperto.

certamente
apr. 89-80-00
Il Naziona
Tutto allo Stadio

Il giovane si è messo a sedere vicino a mio padre. Si muoveva come uno che aveva sempre abitato in quella casa. Parlava con mio padre, sembravano tutti e due molto tranquilli e felici. Ero molto geloso perché io in tutti quegli anni non avevo mai passato una serata a parlare con i miei.

Dopo un po' il giovane si è alzato e si è messo in piedi di fronte a mio padre.

"Ma cosa sta facendo? Perché lo aiuta ad alzarsi dalla poltrona? Che cosa significa tutto questo?" - mi sono chiesto.

Papà gli ha messo le braccia intorno al collo, lo teneva stretto stretto, poi si è avvicinata la mamma... spingeva una **sedia a rotelle**.

"Ma che cosa gli è successo? Fino a pochi giorni fa stava benissimo! Forse gli uomini che mi hanno rapito gli hanno fatto del male? O mio Dio! Povero me!" - pensavo.

Mentre la mamma e il ragazzo lo aiutavano a sedersi sulla sedia a rotelle, ho visto che mio padre non poteva muovere le gambe. A quel punto ho deciso di farmi vedere, così ho bussato con forza alla finestra. Tutti e tre si sono girati verso di me, erano spaventati. Mia madre ha chiamato il guardiano, che è arrivato di corsa ed ha aperto la finestra per vedere chi c'era fuori.

---

sedia a rotelle: sedia con le ruote per una persona malata che non puó camminare.

LA POLIZIA

"Aprimi Giovanni! Sono Giacomo!" - gridavo.

Giovanni era spaventatissimo, sembrava che avesse visto un morto vivente! Senza dire niente mi ha chiuso la finestra in faccia.

Io ero veramente molto arrabbiato, perciò sono andato verso la porta d'entrata della villa ed ho cominciato a battere i pugni e a suonare.

Poiché nessuno veniva ad aprirmi, mi sono messo a gridare:

"Apritemi, apritemi! Sono Giacomo, vostro figlio!"

Alla fine ho capito che dovevo trovare un altro modo per entrare, quindi sono andato dietro alla casa. Là c'erano altre finestre, ma erano tutte chiuse.

Questa situazione non mi era per niente chiara. Perché i miei genitori non mi volevano aprire? E perché Giovanni mi aveva chiuso la finestra in faccia? Era impossibile che non mi avesse riconosciuto.

Poco dopo ho visto una macchina della polizia che si avvicinava. Era la mia fortuna! Finalmente qualcuno avrebbe potuto aiutarmi. Senza pensarci troppo, ho cominciato a correre verso la strada. Prima che la macchina si fermasse, io avevo già aperto la **portiera**.

"Per fortuna siete arrivati!" - ho gridato ai poliziotti - "I miei genitori sono in pericolo. Sono chiusi in casa con un **pazzo**. Venite! Presto!"

---

portiera: la porta della macchina. **pazzo**: matto, malato di mente.

Note

Ero così preoccupato di spiegare quello che stava succedendo, che non mi ero accorto che i poliziotti mi stavano guardando in modo strano, erano confusi.

Uno di loro mi ha invitato a salire in macchina.

"Ma come? Non capite? I miei genitori hanno bisogno del vostro aiuto!" - ho gridato.

"Ma chi sono i tuoi genitori? Se parli dei signori M., devi sapere che sono proprio loro che ci hanno telefonato, perché nel loro giardino c'era qualcuno che voleva entrare in casa. E tu mi sembri proprio il tipo che stiamo cercando." - ha detto uno di loro.

"Ma cosa state dicendo? Vi ripeto che i miei genitori sono in pericolo!"

Nonostante gridassi con tutta la voce che avevo, non mi credevano. Anzi, volevano portarmi con loro al comando di polizia per **arrestarmi**. All'inizio hanno cercato di convincermi gentilmente ad entrare nella loro macchina, poi mi hanno spinto dentro con forza.

"Se non mi credete, perché non controllate voi stessi? Vedrete che sto dicendo la verità! Io sono il figlio dei signori M." - gli ho detto.

"Va bene, controlliamo! Mostraci i tuoi documenti!" - mi ha risposto uno di loro.

Come avevo fatto a non pensarci? Era davvero l'unico modo per farmi credere.

"Guardate qua! Vedete? C'è scritto Giacomo M."

---

arrestarmi: fermarmi, portarmi in prigione. Es: *La polizia ha cercato di arrestarmi perché sono un ladro.*

Note

Ma mentre parlavo, mi sono accorto che quella che tenevo in mano non era la mia carta d'identità: nella foto c'ero io, ma il nome non era il mio, c'era scritto Franco S.

Ora ero davvero in difficoltà. L'unica cosa che potevo fare era raccontargli tutta la verità:

"Ascoltatemi. Lo so che vi sembrerà assurdo, ma sono stato rapito alcuni giorni fa. Credo inoltre che i miei rapitori abbiano cambiato i miei documenti. Ma vi dico che sono davvero figlio dei signori M. Loro vi hanno telefonato perché non hanno capito che ero io. Fatemi parlare con i miei genitori, vi prego! Vi diranno che io sono il loro figlio."

Dopo una lunga discussione, sembravano convinti.

"Tu rimani fermo qua! Vado a controllare se quello che dici è vero." - mi ha detto uno di loro.

Con il cuore che batteva forte, ho guardato il poliziotto scendere dalla macchina e andare verso la porta d'entrata della casa. Poco dopo qualcuno gli ha aperto, lui è entrato dentro.

Era già passato molto tempo, volevo sapere che cosa stava succedendo. Perché non usciva nessuno? Stavo perdendo la pazienza. Dopo mezz'ora, eccolo! Era solo. È salito sulla macchina ed ha ordinato al suo collega di andare al commissariato.

"Ma cosa sta succedendo? Cosa hanno detto i miei genitori? Perché ora mi portate via con voi?" - gridavo.

Ero disperato, non riuscivo più a parlare. Che cosa avrei potuto fare? Era tutto così assurdo. Se fossi riuscito a vedere i miei genitori, forse loro mi avrebbero spiegato tutto quello

Note

che mi stava succedendo. Ma adesso ero nelle mani della polizia.

AL COMMISSARIATO

In macchina nessuno parlava più. Appena siamo arrivati al commissariato i poliziotti mi hanno interrogato subito: mi hanno chiesto più volte chi ero e mi hanno detto di raccontare il mio rapimento. Dopo due ore, durante le quali avevo ripetuto più volte le stesse cose, non ero ancora riuscito a capire perché mi avessero portato là.

Uno di loro continuava a dirmi:

"Non capisco perché non vuoi dire la verità. Che cosa vuoi nascondere? Quello che tu dici è vero: i signori M. hanno un figlio, ma per tua sfortuna ora lui è là, l'ho visto io con i miei occhi."

Quando ho sentito quelle parole, mi sono messo a gridare:

"No! Non è vero! Non ci credo! Non è possibile che i miei genitori non **abbiano denunciato** il mio rapimento!"

Poi mi sono ricordato di quel giovane che avevo visto in casa mia, forse i poliziotti parlavano di lui. Finalmente cominciavo a capire qualcosa: sì, era proprio così, quello era uno dei rapitori e probabilmente **aveva minacciato** i miei genitori; per questo motivo loro non avevano potuto dire la verità alla polizia.

Ho chiesto al poliziotto che mi stava interrogando:

---

abbiano denunciato (inf. denunciare): avvertire il giudice o la polizia di un fatto contro la legge.

aveva minacciato (inf. minacciare): dire qualcosa a qualcuno per fargli paura.

"Per favore, datemi la possibilità di parlare personalmente con i signori M. Solo così potremo chiarire l'errore."

Ma il poliziotto si è arrabbiato:

"Ma che uomo sei? Il signor M. è molto malato e tu vuoi disturbarlo con queste stupidaggini? Stai bene attento: dato che loro non ti hanno denunciato, adesso dobbiamo lasciarti libero; però ti dico che se non li lascerai in pace, troveremo il modo per arrestarti."

Era già mattina e mi trovavo sulla strada senza sapere cosa fare e dove andare. Tutto quello che mi era successo era senza senso. Troppe cose ancora non riuscivo a spiegare: perché mi avevano rapito, la malattia di mio padre, chi e perché aveva cambiato i miei documenti, chi era quel ragazzo in casa mia. Nonostante quello che mi aveva detto il poliziotto, avevo deciso di ritornare alla villa. Anche se era pericoloso, volevo scoprire la verità.

ALLA VILLA

Ancora una volta sono entrato nel parco della villa senza farmi vedere da nessuno. Per fortuna in casa dormivano ancora tutti. Dato che non sapevo quante persone ci fossero, ho aspettato che qualcuno si svegliasse. Poco dopo ad una ad una si sono aperte tutte le finestre delle camere. Certamente prima o poi qualcuno sarebbe uscito di casa. Avevo una terribile voglia di bussare alla porta ed abbracciare i miei

Note

familiari, ma avevo la strana sensazione che non sarebbero stati contenti di vedermi.

Sono passate alcune ore. Ormai era l'una e sicuramente adesso stavano mangiando. Poiché sapevo che se mi fossi avvicinato troppo alla villa sarei stato scoperto, sono rimasto dov'ero, dietro gli alberi.

Finalmente nel pomeriggio qualcuno ha aperto la porta di casa: era mia madre. Usciva da sola, a piedi. L'ho seguita, stando attento a non farmi vedere. Dopo un po' siamo arrivati in centro. Mamma si muoveva stranamente: passava davanti ai negozi, sembrava voler entrare, ma poi ogni volta ritornava indietro. Si comportava come se non sapesse dove andare.

Più tardi ha preso la strada dei giardini pubblici e si è messa a guardare due piccoli **gemelli** che giocavano. Non ne ero certo, ma mi sembrava di vedere delle **lacrime** sul suo viso. Certo la sua espressione era triste, infelice. Poco dopo si è seduta su una **panchina.**

Io non ce la facevo più. Ero stanco per tutte le cose assurde che mi erano successe. All'improvviso ho sentito le mie gambe muoversi verso di lei, non riuscivo più a controllarle. Così, quasi senza accorgermene, mi sono trovato là, davanti a lei.

"Mam... ma."

---

gemelli: fratelli nati lo stesso giorno.

lacrime: le gocce che escono dagli occhi quando si piange.

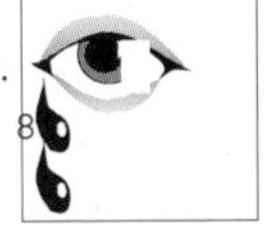

panchina:

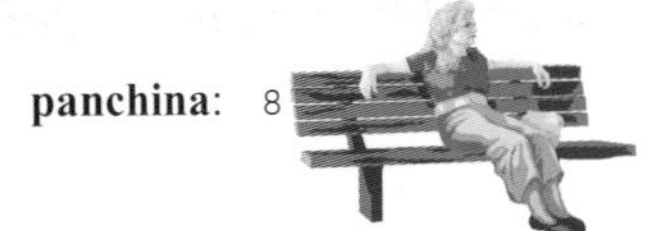

Lei ha alzato gli occhi: sul suo viso c'era un'espressione di grande paura. Voleva andare via, scappare da me.

"No, no. Ti prego, non andartene! Ho veramente bisogno di parlare con te. Non ce la faccio più, è terribile tutto questo." - le ho detto.

Lei mi ha guardato e con le lacrime agli occhi mi ha risposto:

"Scusami Giacomo! È tutto così assurdo, perdonami."

"Mamma, cosa è successo? Perché non mi vuoi più?"

"Scusami, in tutti questi anni non ho mai avuto il coraggio di parlartene. Ma ora tutto è venuto fuori, non posso più stare zitta. Siedi qui, vicino a me."

Ero certo che mi avrebbe detto qualcosa d'importante che avrebbe cambiato la mia vita. Ho accettato il suo invito e lei ha cominciato a raccontare.

LA VERITÀ

"Vent'anni fa io e tuo padre eravamo poverissimi. Quando ho saputo che ero **incinta**, io avevo circa 18 anni. La situazione era difficile, ma io ero comunque contenta di aspettare un bambino. Fino al giorno in cui sono andata all'ospedale per fare una visita medica, e il dottore mi ha detto che aspettavo non uno ma due bambini. Per me è stata una notizia terribile,

---

incinta: in attesa di un figlio.

perché non sapevo come avrei fatto a raccontarlo a tuo padre. Noi eravamo giovani e molto poveri.

Dopo la visita ero così triste e preoccupata che all'uscita ho cominciato a piangere. Mi sono seduta sulla prima sedia che ho trovato, avevo bisogno di calmarmi un po' prima di andare a casa. Per caso, vicino a me, c'era una coppia che si era incuriosita per il mio pianto. I due si sono avvicinati per farmi coraggio. Io ero molto contenta di poter parlare con qualcuno, così ho spiegato loro il perché della mia infelicità. Ma loro non mi potevano capire perché stavano vivendo una situazione opposta alla mia. Pensa Giacomo: era una coppia **sterile**! Erano ricchi ma non potevano avere figli! Loro avrebbero fatto qualsiasi cosa pur di avere un bambino e io, che ne aspettavo due, non avevo i soldi per poterli educare.

Non so come sia successo, tutto è accaduto in pochissimi minuti. È stato lui, il marito, a parlarmene: mi ha detto che se gli avessi dato la possibilità loro avrebbero potuto aiutarmi.

Pensa, si sono offerti di occuparsi di uno dei miei bambini! In quel momento credevo di aver trovato la soluzione a tutti i miei problemi. Infatti la prima cosa che ho pensato è stata:

"Almeno uno dei miei figli avrà una vita serena."

E così ho accettato!

Anche se ero sicura di aver fatto una cosa giusta, non ne ho parlato a tuo padre, perché sapevo che lui non avrebbe mai capito una cosa simile. Gli ho raccontato solamente che

---

sterile: chi non può avere figli.

Note

all'ospedale avevo conosciuto una coppia e che subito eravamo diventati amici.

Durante la mia **gravidanza** incontravamo spesso queste due persone. Massimiliano e Ornella, così si chiamavano, erano molto gentili e mi facevano sempre dei bei regali. Ma col passare del tempo loro si sono accorti che il mio amore per i figli che stavano per nascere aumentava di giorno in giorno.

Perciò il 7 giugno, il giorno del **parto**, loro erano là. Non so come spiegarti, Giacomo, quello che ho provato nel momento in cui ho visto portare via Franco, il tuo fratello gemello. Non mi hanno dato nemmeno la possibilità di dargli un bacio."

"Oh mio Dio, mamma! Non ci posso credere! È orribile quello che hai fatto!"

Non avevo più parole per spiegare il mio orrore, sul mio viso c'era un'espressione di dolore e rabbia, ed è per questo che lei non voleva più continuare. Ma ormai volevo sapere tutto:

"Scusami mamma! Continua, devo sapere tutta la verità! È troppo importante per me!"

E così lei ha continuato il suo racconto:

"Ornella e Massimiliano si erano accorti che non ero più sicura di quello che avevo fatto. Ogni giorno gli telefonavo per sapere come stava Franco, gli chiedevo di poterlo vedere anche solo per pochi minuti. Perciò, per paura che un giorno mi sarei ripresa mio figlio, mi hanno fatto firmare un documento con il quale rinunciavo per sempre a Franco. In cambio mi

---

gravidanza: il periodo di nove mesi prima della nascita del bambino.
parto: la nascita del bambino.

hanno dato molti soldi che mi hanno permesso di offrirti una vita migliore. Credimi! È solo per questo motivo che ho firmato! Poi, per giustificare tutti quei soldi, ho raccontato a tuo padre che avevo vinto alla **lotteria**, lui sapeva che io giocavo spesso e così ci ha creduto."

"Mamma, c'è un'altra cosa che vorrei chiederti..." - ho detto - "Chi era quel bambino che ha vissuto con noi per alcuni mesi?"

"Era proprio lui, Franco! Tuo fratello. È stato con noi perché il **padre adottivo** ha avuto un grave problema di salute e così lui e sua moglie sono rimasti a lungo in America. Ma al loro rientro in Italia Franco è ritornato da loro. È stato molto doloroso per me lasciarlo ancora una volta. La mia vita è stata un inferno, non sono più riuscita a liberarmi di questa colpa. Per tutti questi anni ho vissuto nel dolore."

"Ma allora spiegami: cosa c'entro io con tutto questo? Perché mi mandate via di casa? Ora è arrivato il mio turno? Devi liberarti di me adesso?"

Dai suoi occhi ho visto scendere le lacrime. La sua espressione era molto seria. Io continuavo a non capire. Lei con grande difficoltà è riuscita a dire:

"Ti prego, non dire così. Aspetta. Ti devo spiegare ancora molte cose, solo così potrai capire!"

Poi si è asciugata gli occhi, mi ha preso la mano, e ha ripreso a raccontare.

---

lotteria: gioco di fortuna, in cui si vincono molti soldi.
padre adottivo: padre non naturale.

Note

IL GEMELLO

Adesso mia madre parlava con più decisione, come se volesse liberarsi da un peso insopportabile:

"Tre giorni fa, mentre stavo rientrando a casa dal mio solito giro in città, ho visto un'ambulanza che usciva proprio dalla nostra villa. Papà si era sentito male. Io avrei voluto andare con lui all'ospedale, ma mi hanno detto che nell'ambulanza c'era già suo figlio. Naturalmente ho pensato che tu fossi arrivato a casa prima del solito. Non avrei mai potuto immaginare chi avrei trovato all'ospedale: là non c'eri tu ad aspettarmi e a prenderti cura di tuo padre, ma tuo fratello. La sorpresa è stata veramente grande. Ma la cosa più brutta era che papà non sapeva niente di tutta questa storia.

Così dopo tanti anni mi sono trovata faccia a faccia con Franco. È stato terribile, lui mi **odiava**. Mi ha detto che l'avevo venduto, non mi ha neanche dato la possibilità di spiegargli come erano andate veramente le cose. Aveva scoperto tutto: a casa dei suoi genitori adottivi aveva trovato quei documenti che io molti anni fa avevo firmato, così si era messo alla ricerca della nostra famiglia senza che i suoi genitori lo sapessero. Era dunque riuscito ad arrivare fino a noi ed aveva parlato con tuo padre. Ora capisci perché papà si è sentito male? È colpa mia se ora lui non potrà più camminare! Mio Dio, Giacomo! Che cosa ho fatto!"

---

odiava (inf. odiare): sentimento molto forte che si prova per una persona che non ci piace. Il contrario di "amava".

Note

"Ma perché non mi hai raccontato tutto subito?"

"Quando? Non c'è stato il tempo! È successo tutto così velocemente. Quando Franco è scappato da casa, Massimiliano ed Ornella hanno subito immaginato che lui fosse venuto da noi perché hanno trovato tutti i documenti in disordine. Mi hanno telefonato dicendomi che se Franco non fosse ritornato da loro, avrebbero fatto del male a te. Io ho cercato di convincerli che non sapevamo niente, ma loro non mi hanno creduto. Papà non voleva assolutamente che Franco se ne andasse di nuovo, ma aveva anche molta paura per te. Abbiamo provato a telefonarti a Trieste per avvertirti di quello che stava succedendo. Volevamo che tu rimanessi là per un po', ma tu eri in giro con i tuoi amici dell'Università."

"Ora capisco! Siete stati voi a dire a quegli uomini di rapirmi! È così, dimmelo... Ma perché? Mi odiate veramente tanto?"

"No! Non dirlo neanche per scherzo! Quegli uomini che tu chiami rapitori, sono nostri amici. Loro dovevano tenerti al sicuro per alcuni giorni fino a quando non avessimo trovato il modo di andarcene via tutti e quattro insieme. Intanto Franco, dato che ti assomigliava molto, avrebbe potuto prendere il tuo posto, nessuno se ne sarebbe accorto. Era l'unica soluzione!"

"Ecco perché non avete denunciato il mio rapimento. Ecco perché la polizia ha detto che vostro figlio si trovava a casa. Ed ecco chi era quel ragazzo a casa nostra. Ma che faccio io? Mi lasciate così sulla strada?"

Lei mi ha spiegato che al più presto ce ne saremmo andati via, mi ha anche detto che mi voleva bene e che se avessi avuto

Note

un po' di pazienza avremmo trovato la soluzione giusta. Ma io non volevo aspettare, quella situazione mi sembrava inaccettabile. Lui, mio fratello, aveva preso il mio posto, si era completamente sostituito a me. La mia vita adesso era sua ed io, per continuare ad esistere, dovevo costruirmene un'altra.

Così, deciso ad andarmene per sempre, il giorno dopo ho scritto una lettera d'addio a mia madre.

GIACOMO E FRANCO

Erano passati alcuni mesi da quando ero andato via. Avevo trovato un piccolo appartamento a Venezia; avevo anche un lavoro, ma dal giorno in cui avevo scritto quella lettera non avevo più avuto notizie della mia famiglia. Non vedevo più neanche i miei amici dell'Università, a causa del lavoro avevo interrotto i miei studi e adesso la mia vita era completamente cambiata: ero solo, lontano dalle persone che amavo e vivevo chiuso nel mio dolore. Fino a quel momento non avevo mai capito quanto fosse importante per me avere una famiglia. Nella mia vita avevo pensato solo a me stesso, ai miei amici e ai divertimenti. Ero stato un giovane senza problemi. La famiglia era stata solo un luogo dove poter mangiare e dormire, niente di più, non avevo mai avuto un vero dialogo con i miei genitori, loro per me non avevano mai contato. Ora ne avevo bisogno, li desideravo, li sognavo ogni notte. La sofferenza mi faceva sentire l'importanza delle persone che mi amavano.

Note

Una mattina, molto presto, qualcuno ha suonato alla porta. "Chi può essere a quest'ora?" - ho pensato.

Sono andato ad aprire. Con grande sorpresa mi sono trovato di fronte mio fratello, Franco.

"Ma che cosa fai qui? Come hai fatto a trovarmi? Che cosa vuoi da me?" - gli ho urlato.

"Aspetta Giacomo! Fammi entrare per favore, ho alcune cose da dirti."

Ero molto arrabbiato con lui e anche con i miei genitori. Però sentivo di non poter più resistere in quella situazione, mio padre e mia madre mi mancavano tanto e io avevo bisogno di parlare con qualcuno che avesse loro notizie. Così ho cercato di calmarmi e l'ho fatto entrare in casa:

"Allora: perché sei qui? Che cosa vuoi? Mamma e papà stanno bene?"

"Un momento, dammi il tempo di respirare, è tutta la notte che ti sto cercando. Ascoltami bene: in questo periodo ho pensato molto alla mia vita, a te... alla mia famiglia..."

Franco parlava lentamente, con fatica. Sembrava molto diverso da come lo avevo immaginato. Guardavo i suoi occhi e mi sembrava di leggere i miei stessi sentimenti, potevo quasi **indovinare** le sue parole e i suoi pensieri. Mentre l'ascoltavo, l'idea che mi ero fatta di Franco spariva e, a poco a poco, cominciavo a sentire in lui qualcosa di intimo. Mi sembrava veramente di ascoltare un fratello, un mio gemello.

Alla fine Franco ha concluso il suo lungo discorso:

---

indovinare: capire subito.

Note

"Sono venuto per portarti via con me. Ora puoi tornare a casa, tutto è a posto!"

Io però continuavo a guardarlo con rabbia. Nonostante tutto non volevo ancora credere a quello che diceva, non potevo avere nessuna fiducia in lui:

"Ma che cosa stai dicendo? Che cosa è successo?"

"Sì, ti ripeto che è tutto a posto. Ora non vi darò più problemi."

"Che cosa significa?"

"Significa che puoi tornare a casa e riprendere il tuo posto vicino a mamma e papà."

"Sì, ma tu?"

"Giacomo, te l'ho detto, io ho capito che il mio posto è vicino alle persone con cui ho vissuto fino a poco tempo fa, loro mi vogliono bene, sono figlio loro."

"E mamma, papà?"

"Sanno tutto, e mi capiscono. Non ti preoccupare per loro, io vi verrò a trovare spesso. Ora vieni, scendi con me, mamma ti aspetta."

A queste parole, ho aperto la finestra: in basso, invecchiata dal dolore, ho visto mia madre che stava aspettando. Allora non ho più resistito: sono sceso di corsa e l'ho abbracciata. Con le lacrime agli occhi, ci siamo chiesti perdono di tutto. Poi, insieme a Franco, siamo andati a casa, dove c'era papà. Ho abbracciato anche lui e, per la prima volta dopo tanti anni, gli ho detto quanto lo amassi. Da quel giorno, è iniziata per me una nuova vita.

Note

ESERCIZI

LA LETTERA

A. Grammatica - Completa il testo con i verbi della lista.

ero - essere - è - ho - sarà (2) - sia

Cara mamma,

spero che tu capirai ma devo andare via, _______________ bisogno di respirare aria pulita, di incontrare persone nuove. La vita qui, la gente, i luoghi, ogni immagine, ogni strada di questa città mi ricordano quello che _______________. Non ce la faccio più! Anche se _______________ difficile, preferisco andarmene e ricominciare di nuovo, voglio una vita che _______________ mia. Qui tutto ormai è solo un triste ricordo. La vita non può _______________ vissuta nei ricordi dei tempi passati. La vita è quello che _______________ oggi, la vita è quello che _______________ domani.

Addio!

Ti voglio molto bene.

Tuo Giacomo

IL RIENTRO A CASA

A. *<u>Comprensione del testo</u> - Metti una X sulle frasi vere e correggi quelle false.*

	V	F
1. Giacomo ha deciso di cambiare città.	☐	☐
2. Giacomo lavorava al casinò.	☐	☐
3. Giacomo era abituato a chiedere soldi a casa.	☐	☐
4. Quando è arrivato a casa Giacomo temeva che fosse successo qualcosa ai suoi genitori.	☐	☐

B. *<u>Grammatica</u> - Completa il testo con l'imperfetto, usando i verbi della lista.*

esserci - essere (4) - entrare - avvicinare - fare - andare

Mentre mi ______________ a casa ho visto tutte le luci accese, anche quella della mia stanza. ______________ strano perché là non ______________ mai nessuno senza di me. Davanti alla villa ______________ alcune macchine con i fari accesi. Tutto questo non ______________ normale perché di solito i miei genitori la sera ______________ a letto presto. In un primo momento ho pensato che avessero organizzato una festa, ma la luce del salone principale, dove ______________ queste feste, ______________ spenta. Tutte le macchine, inoltre, ______________ parcheggiate in modo disordinato davanti alla villa.

IL RAPIMENTO

A. *Comprensione del testo - Metti una X sulle frasi vere e correggi quelle false.*

	V	F
1. Giacomo ha incontrato un uomo alto e magro e un uomo basso con i capelli ricci.	☐	☐
2. Giacomo non ha creduto a quello che i due uomini gli hanno detto.	☐	☐
3. I due uomini stavano cercando i genitori di Giacomo.	☐	☐
4. I due uomini hanno obbligato Giacomo a seguirli.	☐	☐

B. *Lessico - Collega le descrizioni con i disegni.*

1 *2*  *3*

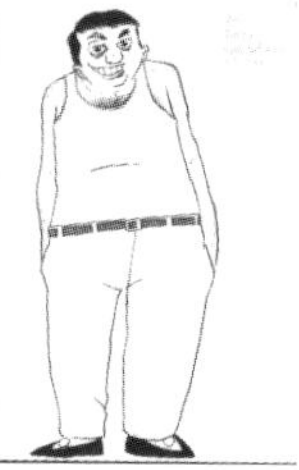

a. giovane, alto, magro, capelli lunghi e lisci.
b. alto, grasso, capelli corti e lisci, occhi scuri.
c. anziano, basso, capelli ricci, grasso, occhi scuri.

C. *<u>Grammatica</u> - Completa i due testi con il passato prossimo e l'imperfetto, usando i verbi della lista.*

1) cercare - essere (2) - interessare - mettersi

In quel momento l'unica cosa che mi ______________, ______________ trovare i miei genitori. Perciò ______________ di entrare nello studio di mio padre che ______________ proprio lì davanti a loro, ma uno dei due ______________ di fronte alla porta.

2) capire - credere - dire (2) - essere - volere

Non ______________ ad una sola parola di quell'uomo, perciò ancora una volta gli ______________ che ______________ vedere i miei genitori. I due uomini ______________ che ______________ un tipo testardo e con un tono duro mi ______________:
"Siamo qui per te e non per i tuoi genitori."

D. *<u>Lavoro in classe</u> - Osserva i testi dell'esercizio C e con un compagno cerca di spiegare:*

1. Quando si usa il passato prossimo?
2. Quando si usa l'imperfetto?

E. *<u>Anticipazione del testo</u> - Prova a immaginare come continua la storia.*

LA PRIGIONE

A. *Comprensione del testo - Metti una X sulle frasi vere e correggi quelle false.*

	V	F
1. Giacomo si è risvegliato nella sua casa.	☐	☐
2. Giacomo non ha riconosciuto il bambino della foto.	☐	☐
3. Giacomo ha fatto finta di dormire perché aveva paura di incontrare i due uomini.	☐	☐
4. I due uomini sembravano sapere molte cose su Giacomo.	☐	☐
5. Giacomo aveva un buon rapporto con i suoi genitori.	☐	☐

B. *Lessico - Scrivi il contrario dei seguenti verbi.*

1) svegliarsi ______________	4) aprire ______________
2) avvicinarsi ______________	5) rispondere ______________
3) ricordarsi ______________	6) preoccuparsi ______________

C. *Grammatica - Completa le frasi con i pronomi indefiniti della lista.*

ogni (2) - qualcuno - nessuno (2) - tutti

1. Nella villa non c'era ______________. Dov'erano andati ______________?
2. Prima che i due uomini mi portassero fuori, avevo visto che ______________ aveva aperto la porta dello studio.

3. Io non sapevo più che cosa fare, ho cominciato a gridare forte, ma sembrava che in casa non ci fosse ______________.
4. La vita qui, la gente, i luoghi, ______________ immagine, ______________ strada di questa città mi ricordano quello che ero.

***D.** Grammatica - Scegli il verbo corretto.*

1. Quando mi **sono risvegliato/risvegliavo, avevo/ho avuto** un forte mal di testa a causa del colpo ricevuto. Mi **trovavo/ sono trovato** in una piccola camera ben arredata con i muri di colore giallo, **c'erano/ci sono state** anche delle fotografie. Mi **sono avvicinato/avvicinavo** per guardarle più da vicino, forse mi avrebbero aiutato a capire dove **sono stato/ero**.

2. Velocemente **sono corso/correvo** verso il letto ed **ho fatto/facevo** finta di dormire perché non **ho avuto/avevo** il coraggio di parlare con loro. Quando quei due **entravano/ sono entrati** nella stanza, subito si **sono avvicinati/ avvicinavano** a me per vedere come **stavo/sono stato**.

I RAPITORI

A. *Comprensione del testo* - *Metti una X sulle frasi vere e correggi quelle false.*

	V	F
1. Giacomo non aveva paura dei due uomini.	☐	☐
2. Giacomo non si è sentito rispettato dai suoi rapitori.	☐	☐
3. Giacomo aveva l'impressione che il bambino delle foto avesse abitato con lui.	☐	☐
4. Quando Giacomo ha detto che doveva andare in bagno, il rapitore non gli ha creduto.	☐	☐

B. *Lessico* - *Spiega il significato delle seguenti espressioni:*

1) Essere fuori di sé dalla rabbia.
2) Prendere in affidamento.
3) Avere fiducia in qualcuno.

C. *Grammatica* - *Trasforma il testo seguente in discorso indiretto.*

Che cosa c'è? Cos'è questo rumore"? - mi ha detto l'uomo alto e magro - "Devo spiegarti una cosa che forse non ti è ancora molto chiara: nonostante ti abbiamo dato una stanza bellissima, sei nostro prigioniero; se non vuoi che ti succeda qualcosa di brutto, devi stare tranquillo e non gridare."

L'uomo alto e magro gli ha domandato

____

____

e ha aggiunto che

____

____

____

____

____

D. *Grammatica* - *Completa il testo con i pronomi.*

Ma avevo capito che _______ ero simpatico. Perciò ho pensato di approfittarne e _______ ho chiesto di andare in bagno.

"Segui ________ ! Ma non fare scherzi." - ________ ha risposto.

Sentivo che quell'uomo aveva fiducia in me. Quando ho messo il piede fuori dalla camera _______ sembrava già di respirare aria di libertà. Proprio vicino alla mia stanza c'era la porta del bagno. Stavo per entrare quando ho capito che _______ voleva entrare con me.

"Scusa ma... potrei restare solo?" - _______ho chiesto.

E. *Anticipazione del testo* - *Come continua il racconto?*

	V	F
1. Giacomo va da solo in bagno.	☐	☐
2. Prima di entrare in bagno Giacomo cerca di scappare ma non ci riesce.	☐	☐
3. L'uomo alto scopre che Giacomo è uscito dalla sua stanza e si arrabbia molto.	☐	☐

LA FUGA

***A.** Comprensione del testo - Metti una X sulle frasi vere e correggi quelle false.*

	V	F
1. Giacomo è riuscito a fuggire facilmente.	☐	☐
2. Giacomo ha deciso di andare alla polizia perché aveva paura per i suoi genitori.	☐	☐
3. Giacomo era molto arrabbiato con il padre.	☐	☐
4. Il ragazzo che si trovava nella casa sembrava essere un parente.	☐	☐
5. Giacomo ha pensato che la madre usasse la sedia a rotelle perché i rapitori le avevano fatto del male.	☐	☐

***B.** Lessico - Spiega il significato delle seguenti parole.*

1. ladro ____________________
2. cancello ____________________
3. sedia a rotelle ____________________
4. guardiano ____________________

***C.** Lessico - Trova il contrario dei seguenti aggettivi.*

1. semplice ____________________
2. lontano ____________________
3. tranquillo ____________________
4. felice ____________________

***D.** Grammatica - Completa il testo con le preposizioni.*

________ bagno ho cercato subito il modo ________ scappare.

Fuggire era stato semplice, troppo semplice , però ________ quel momento non avevo il tempo ________ pensarci. Per prima cosa dovevo capire dov'ero. Non era difficile: quel posto non era nuovo per me, lo conoscevo molto bene, ________ piccolo ci andavo spesso ________ giocare, lo conoscevo molto bene, non era molto lontano ________ mia casa. Non sapevo cosa fare: volevo andare ________ polizia e ________ stesso tempo ________ casa. Poi, siccome ero troppo preoccupato ________ i miei genitori, ho deciso ________ andare ________ loro. Dopo aver camminato ________ alcuni minuti, sono arrivato davanti ________ entrata ________ casa. Dato che il cancello principale era chiuso, ho cercato ________ entrare senza farmi vedere ________ nessuno. Avevo molta paura, mi sembrava ________ essere un ladro. ________ gran fretta mi sono nascosto ________ gli alberi. Le luci ________ sala erano accese, ________ casa c'era qualcuno . ________ molta attenzione mi sono avvicinato ________ finestra ________ vedere che cosa stava succedendo. Tutto sembrava normale: mio padre era seduto ________ sua solita poltrona, leggeva il giornale e fumava la pipa.

E. Grammatica - *Scegli la preposizione corretta.*

1. Sono andato **a/di/per** Milano.
2. Non posso stare lontano **da/di/per** te.
3. Giacomo è andato **della/dalla/nella** polizia.
4. Sono preoccupato **da/per/con** mio padre.

LA POLIZIA

A. Comprensione del testo - *Riordina le frasi e ricostruisci il capitolo.*

a. I poliziotti hanno chiesto i documenti a Giacomo.
b. Giacomo è stato portato al commissariato.
c. Giacomo ha cercato di farsi aprire la porta dai genitori.
d. I documenti che Giacomo ha mostrato non erano i suoi.
e. Un poliziotto è entrato nella villa per parlare con i signori M.
f. È arrivata una macchina della polizia.

B. Lessico - *Spiega il significato delle seguenti espressioni.*

1. Perdere la pazienza.
2. Essere nelle mani di qualcuno.
3. Tipo.

C. *Lessico - Collega le espressioni idiomatiche della colonna di sinistra con le spiegazioni della colonna di destra.*

1. Sentirsi prudere le mani.	**a**. Abile e veloce.
2. Svelto di mano.	**b**. Andare da qualcuno senza niente da offrire.
3. Avere la mano pesante.	**c**. Aver voglia di picchiare.
4. Presentarsi a mani vuote.	**d**. Essere duro con gli altri.

D. *Grammatica - Completa le frasi con i verbi al congiuntivo e al condizionale.*

1. Giovanni era spaventatissimo, sembrava che (vedere) ________________ un morto vivente!
2. Era impossibile che Giovanni non mi (riconoscere) ________________.
3. Finalmente qualcuno (potere) ________________ aiutarmi.
4. Credo che i miei rapitori (cambiare) ________________ i miei documenti.
5. Ero disperato. Che cosa (potere) ________________ fare? Se (riuscire) ________________ a vedere i miei genitori, forse loro mi (spiegare) ________________ tutto quello che mi stava succedendo.

E. *Grammatica* - *Completa le frasi con i verbi al congiuntivo e al condizionale.*

1. Se io avessi avuto tempo, ([io] venire) ______________ a trovarti nel pomeriggio.
2. Se tu mi avessi detto che avevi bisogno del libro te l' (portare) __________________.
3. Se avessero studiato, (superare)__________________ l'esame.
4. Se Paula fosse venuta in Italia con me si (divertirsi) __________________ molto.

AL COMMISSARIATO

A. *Comprensione del testo* - *Metti una X sulle frasi vere e correggi quelle false.*

	V	F
1. La polizia pensava che Giacomo fosse il figlio dei signori M.	☐	☐
2. Giacomo pensava che il ragazzo in casa sua fosse un rapitore.	☐	☐
3. I genitori di Giacomo avevano telefonato alla polizia per denunciare il rapimento del figlio.	☐	☐
4. La polizia voleva che Giacomo tornasse alla villa.	☐	☐

B. *Grammatica - Trasforma i 3 testi in discorso indiretto.*

1. "Non capisco perché non vuoi dire la verità, che cosa vuoi nascondere? Quello che tu dici è vero: i signori M. hanno un figlio, ma per tua sfortuna ora lui è là, l'ho visto io con i miei occhi."

Uno di loro gli aveva detto che ______________________

____

poi gli aveva chiesto ______________________

____

e aveva aggiunto ______________________

____

____

2. "No! Non è vero! Non ci credo! Non è possibile che i miei genitori non abbiano denunciato il mio rapimento!"

Allora Giacomo si è messo a gridare ______________________

____

____

3. "Per favore, datemi la possibilità di parlare personalmente con i signori M. Solo così potremo chiarire l'errore."

Poi ha chiesto ai poliziotti che lo stavano interrogando

____

____

C. <u>Lessico</u> - *Spiega il significato delle seguenti parole.*

1. interrogatorio ______________________
2. rapimento ______________________
3. denuncia ______________________
4. minaccia ______________________

D. <u>Lessico</u> - *Trova i verbi dei seguenti sostantivi.*

1. interrogatorio ______________________
2. rapimento ______________________
3. denuncia ______________________
4. minaccia ______________________

E. <u>Anticipazione del testo</u> - *Come continua il racconto?*

	V	F
1. Giacomo riesce a incontrare sua madre che gli spiega tutto.	☐	☐
2. Giacomo va alla villa ma qui incontra di nuovo i suoi rapitori.	☐	☐

ALLA VILLA

A. <u>Comprensione del testo</u> - *Riordina le frasi e ricostruisci il capitolo.*

a.Quando ha visto i due gemelli, la madre di Giacomo si è messa a piangere.
b. Giacomo si è avvicinato alla madre.
c. La madre è andata ai giardini pubblici.

d. Nel pomeriggio Giacomo ha visto uscire la madre.
e. Nella villa dormivano tutti.
f. La mamma desiderava raccontare tutto.
g. Giacomo ha deciso di aspettare che qualcuno in casa si svegliasse.
h. Giacomo ha seguito la madre.

B. *Grammatica - Completa le frasi con i connettivi.*

come se - poiché - perciò - dato

1.____________ che non sapevo quante persone ci fossero, ho aspettato che qualcuno si svegliasse.
2. Si comportava____________ non sapesse dove andare.
3.____________ sapevo che se mi fossi avvicinato troppo alla villa sarei stato scoperto, sono rimasto dov'ero, dietro gli alberi.
4. Ero certo che mi avrebbero detto qualcosa d'importante che avrebbe cambiato la mia vita.____________ ho accettato il suo invito e lei ha cominciato a raccontare.

C. *Grammatica - Costruisci delle frasi con i connettivi.*

1. Poiché ____.
2. ____ mentre ____.
3. Se ____, perciò ____.

LA VERITÀ

A. *<u>Comprensione del testo</u> - Metti una X sulle frasi vere e correggi quelle false.*

	V	F
1. I genitori di Giacomo erano molto felici di sapere che avrebbero avuto due figli.	☐	☐
2. All'ospedale la madre di Giacomo ha conosciuto una coppia che non poteva avere figli.	☐	☐
3. Poiché erano molto ricchi, l'uomo e la donna si sono offerti di aiutare la madre di Giacomo.	☐	☐
4. La madre di Giacomo non ha mai parlato con suo marito della coppia conosciuta all'ospedale.	☐	☐
5. Giacomo non sapeva di avere un fratello gemello.	☐	☐
6. La madre di Giacomo non ha mai amato Franco.	☐	☐
7. La madre di Giacomo ha giocato alla lotteria e ha vinto molti soldi.	☐	☐
8. Ornella e Massimiliano sono i genitori adottivi di Franco.	☐	☐

B. *<u>Grammatica</u> - Trasforma la prima parte del racconto della madre di Giacomo in discorso indiretto.*

"Vent'anni fa io e tuo padre eravamo poverissimi. Quando ho saputo che ero incinta, io avevo circa 18 anni. La situazione era difficile, ma io ero comunque contenta di aspettare un bambino. Fino al giorno in cui sono andata all'ospedale per fare una visita medica, e il dottore mi ha detto che aspettavo non uno ma due bambini. Per me è stata una notizia terribile, perché non sapevo come avrei fatto a raccontarlo a tuo padre. Noi eravamo giovani e molto poveri."

La madre di Giacomo diceva che ______________________

____

____

____

____

____

____

____

____

____

____

____

____

____

____

C. *Grammatica - Completa le frasi con i pronomi relativi e, se necessario, con le preposizioni.*

1. Io ero comunque contenta d'aspettare un bambino, fino al giorno ______ sono andata all'ospedale per una visita medica.
2. Mi sono seduta sulla prima sedia ______ ho trovato.
3. Vicino a me c'era una coppia ______ si era incuriosita per il mio pianto.

4. Loro avrebbero fatto qualsiasi cosa pur di avere un bambino ed io, ______ ne aspettavo due, non avevo i soldi per poterli educare.
5. Col passare del tempo loro si sono accorti che il mio amore per i figli ______ stavano per nascere aumentava di giorno in giorno.
6. Non so come spiegarti, Giacomo, quello che ho provato nel momento ______ ho visto portare via Franco.
7. Mi hanno fatto firmare un documento ______ rinunciavo per sempre a Franco.
8. In cambio mi hanno dato molti soldi ______ mi hanno permesso di offrirti una vita migliore.

D. *Anticipazione del testo - Secondo te, come continua il racconto?*

____

____

____

____

____

IL GEMELLO

***A.** Comprensione del testo - Metti una X sulle frasi vere e correggi quelle false.*

	V	F
1. Erano trascorsi tre giorni dal momento in cui il padre di Giacomo si era sentito male.	☐	☐
2. Ad accompagnare il padre all'ospedale era stata la madre di Giacomo.	☐	☐
3. Dopo aver scoperto i documenti, con l'aiuto dei suoi genitori adottivi Franco aveva trovato i suoi veri genitori.	☐	☐
4. Il padre di Giacomo si era sentito male perché aveva scoperto di avere un altro figlio.	☐	☐
5. Massimiliano e Ornella avevano minacciato la famiglia di Giacomo.	☐	☐
6. I rapitori di Giacomo erano stati chiamati dai suoi genitori.	☐	☐
7. I genitori di Giacomo volevano che lui se ne andasse via per sempre.	☐	☐
8. Giacomo ha scritto la lettera d'addio perché sentiva che nella sua famiglia non c'era più posto per lui.	☐	☐

***B**. Grammatica - Leggi le frasi e spiega l'uso dei pronomi: segna con una X se sono diretti, indiretti o riflessivi.*

	D	I	R
1. Era come se volesse liberar**si** da un peso			
2. Papà **si** era sentito male.			
3. Ma **mi** hanno detto che (...)			
4. Là non c'eri tu ad aspettar**mi** e a prender**ti** cura di tuo padre.			
5. Dopo tanti anni **mi** sono trovata faccia a faccia con Franco.			
6. Lui **mi** odiava.			
7. Non mi ha neanche dato la possibilità di spiegar**gli** come erano andate veramente le cose.			
8. Così **si** era messo alla ricerca (...)			
9. Ma perché non **mi** hai raccontato tutto subito?			
10. **Mi** hanno telefonato dicendo**mi** che (...)			
11. Abbiamo provato a telefonar**ti** per avvertir**ti**.			
12. È così, dim**melo**.			
13. Non dir**lo** neanche per scherzo!			
14. Loro dovevano tener**ti** al sicuro.			
15. **Mi** lasciate così sulla strada?			
16. Lei **mi** ha spiegato che (...)			

C. Completa la tabella.

Verbo	8	**Sostantivo**	**Verbo**	8	**Sostantivo**
uscire	8	uscita	scoprire	8	________
raccontare	8	________	firmare	8	________
immaginare	8	________	spiegare	8	________
________	8	scherzo	________	8	soluzione
pensare	8	________	________	8	vita
________	8	decisione	esistere	8	________
________	8	sorpresa	ricercare	8	________

***D.** Secondo te, come finisce il racconto?*

GIACOMO E FRANCO

A. Comprensione del testo - *Riordina le frasi e ricostruisci il capitolo.*

a. Una mattina Franco ha suonato alla porta di Giacomo.
b. Da quel giorno per Giacomo è iniziata una nuova vita fatta di amore e affetti.
c. Giacomo, che da alcuni mesi si era trasferito a Venezia, non aveva più avuto notizie della famiglia.
d. Allora Giacomo ha aperto la finestra e ha visto la madre che lo stava aspettando.
e. Giacomo era molto arrabbiato con il fratello, ma allo stesso tempo voleva bene ai suoi genitori e aveva bisogno di sapere come stavano.
f. È sceso di corsa ad abbracciarla. Poi, insieme a Franco, è andato a casa dal padre.
g. Ne sentiva la mancanza. La lontananza dai suoi cari gli aveva fatto capire quanto loro fossero importanti per lui.
h. Lui invece sarebbe ritornato da Marcello e Ornella, perchè sentiva che loro erano i suoi veri genitori.
i. Franco ha spiegato a Giacomo che era andato a prenderlo per riportalo a casa per sempre.

B. Lessico - *Trasforma le frasi sostituendo i verbi sottolineati con altri di significato uguale.*

1. Erano passati alcuni mesi da quando ero andato via.
2. Non vedevo più neanche i miei amici dell'Università.
3. A causa del lavoro avevo interrotto i miei studi.

4. Nella mia vita avevo pensato solo a me stesso.
5. Non avevo mai avuto un vero dialogo con i miei genitori, loro per me non avevano mai contato.
6. La sofferenza mi faceva sentire l'importanza delle persone che mi amavano.

C. *Grammatica - Completa il testo con le preposizioni.*

Erano passati alcuni mesi _________ quando ero andato via. Avevo trovato un piccolo appartamento _________ Venezia; avevo anche un lavoro, ma _________ giorno in cui avevo scritto quella lettera non avevo più avuto notizie _________ mia famiglia. Non vedevo più neanche i miei amici _________ Università, _________ causa _________ lavoro avevo interrotto i miei studi e adesso la mia vita era completamente cambiata: ero solo, lontano _________ persone che amavo e vivevo chiuso _________ mio dolore. Fino _________ quel momento non avevo mai capito quanto fosse importante _________ me avere una famiglia. _________ mia vita avevo pensato solo _________ me stesso, _________ miei amici e _________ divertimenti.

D. *Grammatica - Completa le frasi con i pronomi relativi e, se necessario, con le preposizioni.*

1. Dal giorno _________ avevo scritto quella lettera non avevo più avuto notizie della mia famiglia.
2. La sofferenza mi faceva capire l'importanza delle persone _________ amavo.

3. La famiglia era stata solo un luogo __________ poter mangiare e dormire, niente di più.
4. Ho capito che il mio posto è vicino alle persone __________ ho vissuto fino a poco tempo fa.
5. Dalla finestra ho visto mia madre __________ stava aspettando.
6. Poi, insieme a Franco, siamo andati da papà, __________ ci aspettava a casa.

***E.** Scrivi un altro finale della storia.*

____

____

____

____

____

____

SOLUZIONI DEGLI ESERCIZI

La lettera

A - ho; ero; sarà; sia; essere; è; sarà.

Il rientro a casa

A - 1) V; 2) F; 3) V; 4) V.

B - avvicinavo; Era; entrava; c'erano; era; andavano; facevamo (facevano); era; erano.

Il rapimento

A - 1) V; 2) V; 3) F; 4)V.

B - 1 = b; 2 = a; 3 = c.

C - 1) interessava; era; ho cercato; era; si è messo.

C - 2) credevo; ho detto; volevo; hanno capito; ero; hanno detto.

La prigione

A - 1) F; 2) V; 3) V; 4) V; 5) F.

B - 1) addormentarsi; 2)allontanarsi; 3) scordarsi/dimenticarsi; 4) chiudere; 5) domandare/chiedere; 6) tranquillizzarsi.

C - 1) nessuno; tutti; 2) qualcuno; 3) nessuno; 4) ogni; ogni.

D - 1) sono risvegliato; avevo; trovavo; c'erano; sono avvicinato; ero.

D - 2) sono corso; ho fatto; avevo; sono entrati; sono avvicinati; stavo.

I rapitori

A - 1) F; 2) V; 3) V; 4) F.

B - 1) essere pazzo per la rabbia, non riuscire a controllarsi a causa del nervosismo; 2) prendere un bambino in casa propria per educarlo e crescerlo come un figlio naturale; 3) credere in quella persona, pensare che sia leale, fedele.

C - **L'uomo alto e magro gli ha domandato** cosa stesse succedendo e cosa fosse quel rumore; **e ha aggiunto che** doveva spiegargli una cosa che forse non gli era ancora molto chiara e cioè che nonostante gli avessero dato una stanza bellissima, lui era loro prigioniero e quindi se non voleva che gli succedesse qualcosa di brutto doveva stare tranquillo ed evitare di gridare.

D - gli; gli; -mi; mi; mi; lui; gli

E - Vero = 1.

La fuga

A - 1) V; 2) F; 3) V; 4) V; 5) F

B - 1) persona che ruba, criminale che prende la roba degli altri. 2) porta di metallo o di legno che serve per chiudere giardini, campi, luoghi aperti. 3) sedia per ammalati o

invalidi; 4) uomo che controlla una casa, poliziotto privato.
C - 1) complesso, difficile; 2) vicino; 3) nervoso, preoccupato; 4) triste, infelice.
D - nel (in); per (di); in; di (per); da; a; dalla; alla (dalla); allo (nello); a; per; di; da; per; all'; della (di); di; da; di; In; tra (fra); della; in; Con; alla; per; sulla (nella).
E - 1) a; 2) da; 3) dalla; 4) per.

La polizia
A - c, f, a, d, e, b.
B - 1) innervosirsi, arrabbiarsi. 2) non essere libero, dipendere dalla volontà di un altro. 3) persona, individuo.
C - 1 = c; 2 = a; 3 = d; 4 = b.
D - 1) avesse visto (vedesse); 2) avesse riconosciuto (riconoscesse); 3) avrebbe potuto; 4) avessero cambiato 5) avrei potuto; fossi riuscito; avrebbero spiegato.
E - 1) sarei venuto; 2) avrei portato; 3) avrebbero superato; 4) sarebbe divertita.

Al commissariato
A - 1) F ; 2) V; 3) F; 4) F.
B - 1) **Uno di loro gli aveva detto che** non capiva perché non volesse dire la verità; **poi gli aveva chiesto** che cosa volesse nascondere **e aveva aggiunto** che quello che lui diceva era vero, infatti i signori M. avevano un figlio ma per sua sfortuna in quel momento era là, dato che l'aveva visto lui con i suoi occhi.
B - 2) **Allora Giacomo si è messo a gridare** che no, non era vero e che non ci credeva; e che non era possibile che i suoi genitori non avessero denunciato il suo rapimento.
B - 3) **Poi ha chiesto ai poliziotti che lo stavano interrogando** di dargli, per favore, la possibilità di parlare personalmente con i signori M.; poiché solo in quel modo avrebbero potuto chiarire l'errore.
C - 1) Serie di domande della polizia o di un giudice; 2) Sequestro, furto di una persona; 3) Il riferire alla polizia o al giudice di fatti criminali; 4) Frase o discorso detto per fare paura a una persona.
D - 1) interrogare; 2) rapire; 3) denunciare; 4) minacciare.
E - Vero = 1.

Alla villa
A - e, g, d, h, c, a, b, f.
B - 1) Dato; 2) come se; 3) Poiché; 4) Perciò.

La verità

A - 1) F; 2) V; 3) V; 4) F; 5) V; 6) F; 7) F; 8) V.

B - **La madre di Giacomo diceva che** vent'anni prima lei e il padre di Giacomo erano poverissimi. Quando aveva saputo di essere incinta, lei aveva circa 18 anni. La situazione era difficile, ma lei era comunque contenta di aspettare un bambino. Fino al giorno in cui era andata all'ospedale per fare una visita medica e il dottore le aveva annunciato che aspettava non uno ma due bambini. Per lei era stata una notizia terribile, perché non sapeva come avrebbe fatto a raccontarlo al padre di Giacomo, dato che erano giovani e molto poveri.

C - 1) in cui; 2) che; 3) che; 4) che; 5) che; 6) in cui; 7) con cui (con il quale); 8) che.

Il gemello

A - 1) V; 2) F; 3) F; 4) V; 5) V; 6) V; 7) F; 8) V.

B - 1) R; 2) R; 3) I; 4) D, R; 5) R; 6) D; 7) I; 8) R; 9) I; 10) I, I; 11) I, D; 12) I, D ; 13) D; 14) D; 15) D; 16) I.

C - raccontare - **racconto**; immaginare - **immagine**/**immaginazione**; **scherzare** - scherzo; pensare - **pensiero**; **decidere** - decisione; **sorprendere** - sorpresa; scoprire - **scoperta**; firmare - **firma**; spiegare - **spiegazione**; **risolvere** - soluzione; **vivere** - vita; esistere - **esistenza**; ricercare - **ricerca.**

Giacomo e Franco

A - c, g, a, e, i, h, d, f, b.

B - 1) Erano trascorsi;
2) frequentavo;
3) avevo sospeso;
4) avevo dato importanza;
5) non avevano avuto importanza;
6) capire.

C - da; a; dal; della (dalla); dell'; a; del; dalle; nel; a; per; Nella; a; ai; ai

D - 1) in cui; 2) che; 3) in cui; 4) con cui (con le quali); 5) che; 6) che.

Indice

Parole crociate

Questi 3 volumi di **Parole crociate** presentano un modo facile e divertente per imparare le parole di base della lingua italiana e per esercitare il lessico e la grammatica.

Ogni parola crociata utilizza solo le parole italiane più frequenti ed utili e si riferisce ad un tema particolare (la casa, la città, la famiglia, il lavoro, il mangiare e il bere, il tempo libero, la politica, la religione, ecc.). Ma ci sono anche parole crociate di argomento più generale, puzzle ed altri giochi linguistici.

Per studenti di livello elementare, intermedio e avanzato. Sono incluse le soluzioni.

ALMA EDIZIONI
viale dei Cadorna, 44 - 50129 Firenze - Italia
tel ++39 055476644 - fax ++39 055473531
info@almaedizioni.it - www.almaedizioni.it